Per volare con la fantasia

R GRUPPO EDITORIALE
RAFFAELLO

23

Collana di narrativa per ragazzi

Al vostro piccolo cuginetto italo, venezuelano e cenadese, un grande abbraccio.... per buon viaggio e ci vediamo l'estate prossima (FAMILY BEACH)

Betty Emma

Redazione: *Emanuele Ramini*
Ufficio stampa: *Salvatore Passaretta*
Team grafico: *Letizia Favillo*

Nuova Edizione 2012
1ª Edizione 2004

Ristampa
7 6 5 4 3 2 1   2019 2018 2017 2016 2015 2014 2013

© 2012  GRUPPO EDITORIALE
RAFFAELLO

Raffaello Libri Srl
Via dell'Industria, 21
60037 - Monte San Vito (AN)
www.raffaelloeditrice.it
www.grupporaffaello.it

e-mail: info@ilmulinoavento.it
http://www.ilmulinoavento.it
Printed in Italy

SISTEMA DI GESTIONE CERTIFICATO
QUALITÀ UNI EN ISO 9001:2008

Raffaello d digitale
libro in rete
con risorse per la LIM
VERSIONE MISTA
www.raffaellodigitale.it

 www.facebook.com/RaffaelloEditrice

Luigino Quaresima

IL PIANETA
DELLA FELICITÀ

Illustrazioni di
Cesare Lomonaco

È una bella giornata.
Benny e Dolly, come tutti i bam-
bini del mondo, sono a scuola.
Ot li attende vicino all'ingresso.

Nel pomeriggio, subito i compiti!
– Uffa!... Non ne posso più – si lamenta Benny.
– Ora dobbiamo andare al corso di nuoto – dice Dolly. – Li finiamo dopo!

In piscina l'ora passa presto.

– Svelti – fa l'istruttore – perché c'è l'altro gruppo.

La mamma, fuori, è pronta a portarli al corso di musica.

DLIN, DLIN... DLIN, DLAN!
I Bendols provano a strimpellare qualche nota.
– Basta, per oggi – fa il maestro.
– C'è la mamma che vi aspetta!

I Bendols tornano a casa.
– Ora terminate i compiti – ordina la mamma. – Svelti!... E fateli bene!

– Ora mettete in ordine la vostra cameretta – dice la mamma.

– Uffa! – rispondono i Bendols con un filo di voce.

Poi aggiungono, forte:

– Va bene, mamma.

Il giorno dopo è la stessa storia: scuola, compiti, poi "Venite qui!", "Andate là!", "Fate questo!", "Fate quello!"

Benny e Dolly non ne possono più.

Sono stanchi di andare a scuola e di fare i compiti, di andare al corso di nuoto, di musica, di inglese...

Sono stanchi di ubbidire ai genitori, agli insegnanti, agli adulti. Vogliono essere liberi, senza orari, senza compiti, senza scuola.

– Un posto come vogliamo noi non si trova mica sulla nostra Terra! – osserva Benny.

– No, ma... forse su un altro pianeta sì! – fantastica Dolly.

I Bendols sognano a occhi aperti.

La sera i Bendols si addormentano con l'immagine di un pianeta magico, il Pianeta della Felicità.

Mentre dormono, arriva nella loro cameretta una misteriosa astronave che li risucchia e li porta con sé.

I Bendols si ritrovano ben presto in viaggio nello spazio infinito, a bordo di una fantastica astronave.

Si sentono senza peso e sono
sospesi in aria leggeri leggeri.
È una sensazione bellissima.

Benny si diverte a fare le ca-
priole.

– Che bello! Qui non c'è peri-
colo di cadere e farsi male.

Dolly cerca di mettere in ordine i suoi capelli, ma questi vanno da tutte le parti.

– Non ho pensato di mettere la lacca! – dice ridendo.

Ot è tutto preso ad afferrare
l'osso che se ne va per conto
suo nell'aria.

Si allunga, muove le zampe
come per correre, ringhia... ma
l'osso gli sfugge sempre.

– Ora guardiamo fuori! – pro-
pone Dolly.

– Evviva! – grida Benny.

– Bu-bu-bu! *(Anch'io voglio guar-
dare!)* – abbaia Ot.

I tre si affacciano dagli oblò e vedono uno spettacolo meraviglioso: la luna, i pianeti e tante, tante stelle.

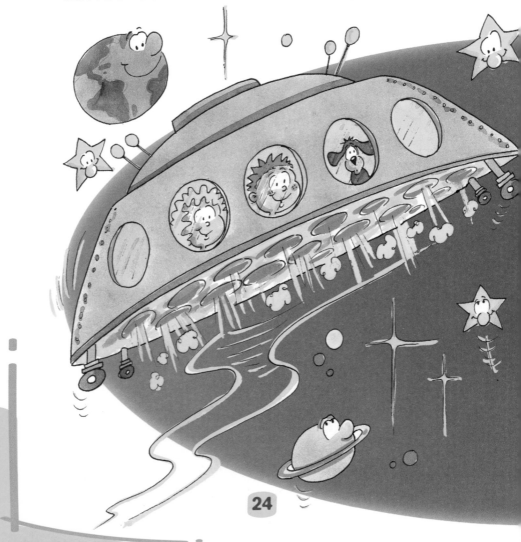

La Terra, ormai lontana, mette in mostra i suoi splendidi colori. Le stelle sorridono con la loro luce abbagliante.

L'astronave accende i retroraz-
zi e si posa sulla luna, al centro
di un grande cratere.

I Bendols mettono il casco pro-
tettivo e scendono.

Sono molto leggeri, perché
sulla luna si pesa poco.

Benny corre velocissimo.
Dolly fa salti altissimi.
Ot, finalmente, si sente molto agile e con un balzo va più in alto dell'astronave.

BRUM... BRUM...
I motori dell'astronave si riac-
cendono e... via alla ricerca del
Pianeta della Felicità!

In lontananza si intravede un pianeta dall'aspetto sinistro e misterioso.

L'astronave atterra e i Bendols, seguiti da Ot, scendono lungo lo scivolo.

Sono seri seri, in apprensione...

Sembra che qualcosa di brutto stia per succedere.

Ot abbaia preoccupato.

Terribili robot si avvicinano all'astronave e circondano i Bendols.

– Ho paura, Benny!

– Anch'io, Dolly!

Ot abbaia coraggiosamente, ma non sa come combattere contro quegli esseri di metallo.

I robot, a un segnale del loro co-
mando elettronico, attaccano con
micidiali armi al laser.

– Aiuto! – grida Dolly.

– Scappiamo! – urla Benny.

– Bau, bau! *(Ci annientano!)* – abbaia Ot.

E tutti corrono verso l'astronave.

I razzi spingono l'astronave nel cielo mentre i robot continuano a sparare con le loro armi superelettroniche.

In lontananza si vede un altro pianeta. È luminoso e ha i colori dell'arcobaleno.

– È il Pianeta della Felicità! – esultano i Bendols.

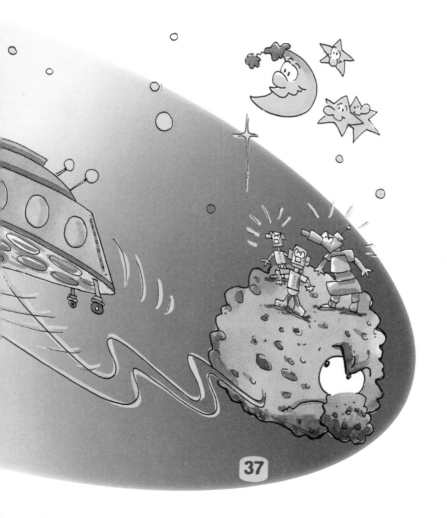

L'astronave sta per atterrare in un parco.

Piccoli esseri strani stanno giocando allegramente.

Qualcuno, più curioso degli altri, guarda l'astronave.

Un esserino tutto rosso con un casco blu si avvicina a Dolly, un altro, tutto giallo, si avvicina a Benny.

Un altro strano essere si avvicina a Ot.

Sembra un cane, solo che ha otto zampe.

Benny si presenta e l'essere extraplanetario risponde.

Poi Benny chiede se nel pianeta
i bambini sono felici.
La risposta è pronta.

Anche Dolly si presenta e l'esserino che le sta davanti fa altrettanto.

Io sono Dolly.

A ur Ik-Tu, en uk
(Io sono Ik-Tu,
un bambino.)

Ik-Tu mette sotto i piedi di Dolly un monopattino e insieme corrono intorno a un fungo gigante.

Intanto Ot ha fatto conoscenza con At-Ky, una deliziosa cagnolina.

Insieme si divertono molto, anche se Ot fatica un po' a stare dietro ad At-Ky.

Lui ha solo... quattro zampe!

I Bendols pensano di aver trovato il Pianeta della Felicità, dove si gioca sempre.

Ma all'improvviso scoprono che anche in quel paese non esiste solo il gioco.

Eppure tutti i bambini sono ugualmente felici.

I razzi dell'astronave si accendono. È giunta l'ora della partenza. Non si può tardare.

I Bendols sono raggianti.
Non hanno trovato il Pianeta della Felicità, ma tornano a casa più ricchi di esperienze... e di amici.

Ogni sera, a casa, i Bendols accendono il computer, leggono i messaggi dei loro amici extraterrestri e rispondono.

Sono i primi esseri umani a saper comunicare con bambini che vivono in un altro pianeta!

PER
COMPRENDERE
MEGLIO

Schede didattiche a cura di
Cristina Cicconi

FRASI - PUZZLE

Ricomponi le frasi e trascrivile nelle caselle giuste.

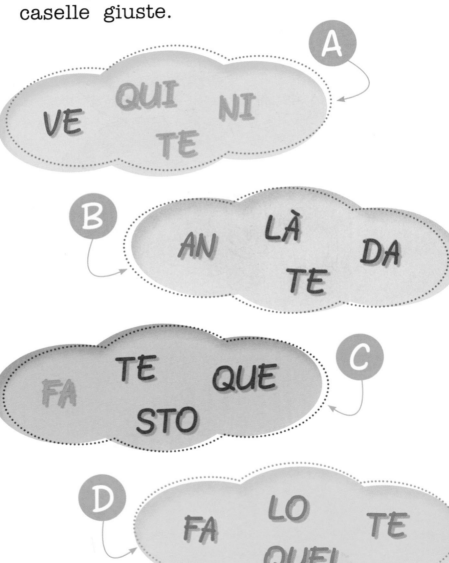

A — VE QUI TE NI

B — AN LÀ DA TE

C — FA TE QUE STO

D — FA LO TE QUEL

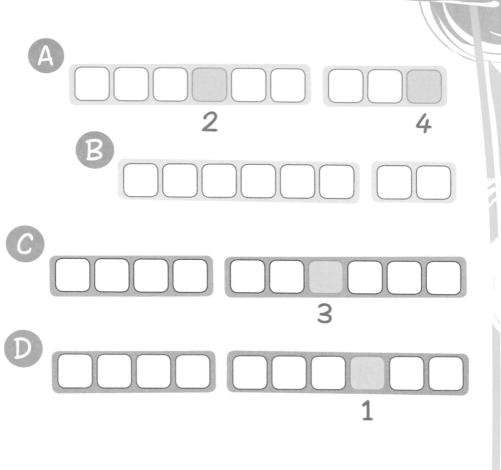

🌢 Ora prendi le lettere numerate e riportale nelle caselle in basso. Scoprirai come amavano vivere i Bendols.

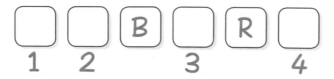

A PASSEGGIO NEL TEMPO

Congiungi con una linea i pianeti via via incontrati dai Bendols nel loro favoloso viaggio.

Ora aggiungi il "pezzo" mancante e avrai lo strumento che i nostri amici Benny e Dolly non amano.

CRUCIVERBA DI SILLABE

Rispondi alle definizioni e completa le caselle orizzontali. Quali parole hai trovato?

	A↓	
1 -		

B↓ **NI**

| 2 - | | | | |

MI C↓

| 3 - | | | |

D↓ **MI**

| 4 - | | | | |

BE

| 5 - | | | | |

DEFINIZIONI:
1 - I Bendols vanno in piscina, poi al corso di...
2 - Benny e Dolly ci viaggiano nello spazio.
3 - Grande sala dove si va per vedere un film.
4 - Pianeta che i Bendols cercano nello spazio.
5 - Dopo aver passeggiato sulla luna i ragazzi salgono sull'astronave e...

PAROLE TROVATE:

A: ....

B: ....

C: ....

D: ....

SCOPRI IL PIANETA

Riempi gli spazi con i colori indicati.

1 Rosso chiaro   4 Bianco

2 Verde chiaro   5 Nero

3 Bianco   5 Rosso scuro

Come ti immagini il tuo Pianeta della Felicità?

| A | PIENO DI COMPITI DA FARE |
| B | PIENO DI GELATI DA MANGIARE |

| A | TUTTO COLORATO |
| B | TUTTO NERO |

| A | CON TANTI MOSTRI |
| B | CON TANTI AMICI |

COSTRUISCI
LA SCHEDA DEL LIBRO

AUTORE: ....

TITOLO: ....

CASA EDITRICE: ....

GENERE: (GIALLO-UMORISTICO-FIABESCO...) ....

PROTAGONISTI: ....

....

EPISODIO CHE MI È PIACIUTO DI PIÙ: ....

....

....

GIUDIZIO PERSONALE: ....

....

Serie Gialla (prime letture)

Ivonne Mesturini – Nicolò e Brilli
Ivan Sciapeconi – Zezè e Cocoricò
Mara Porta – Croac e la strana malattia
Loredana Frescura – Il fantasma dispettoso
Giovanna Marchegiani – Gedeone, il pagliaccio mattacchione
Giovanna Marchegiani – Le scorpacciate di Gelsomina
Luigino Quaresima – Ed ora... a scuola!
Luigino Quaresima – Avventure... a scuola
Luigino Quaresima – Vacanze pazze
Luigino Quaresima – L'eroico Ot
Giovanna Marchegiani – Rampichina e la voglia di volare
Giovanna Marchegiani – Giulietta, streghetta perfetta
Luigino Quaresima – Il Pianeta della Felicità
Luigino Quaresima – Bob, cagnolino curioso
Ivonne Mesturini – Ludovica e Taro
Alessandra Rimei – Nel Mondo Rotondo
Marina Rossi – La Fattoria di Prato Fiorito
Patrizia Ceccarelli – Che animali strampalati!
Marco Moschini – L'alfabeto incantato
Quaresima, Mesturini – Guerra ai rifiuti
Michela Albertini – È gelosia, piccolo Tobia!
Roberto Morgese – Supermami

Serie Rossa (a partire dai 7 anni)

Antonella Ossorio – Tante fiabe in rima
Luigino Quaresima – L'astrobolla
Gabriella Pirola – Nata sotto un cavolo
Luigi Capuana – Trottolina e altre fiabe
Paola Valente – La Maestra Tiramisù
Giovanna Marchegiani – Leo e... Poldo
Antonella Ossorio – Tante favole in rima
Marco Moschini – I rapatori di teste

Nicola Cinquetti – Un pirata in soffitta
Annalisa Molaschi – Un safari emozionante
Maria Strianese – Il ragno volante
Annamaria Piccione – Hanno rapito mio fratello!
Paola Segantin – Non arrenderti, Fortuna!
Gabriella Pirola – Domitilla
Nadia Bellini – Le ortiche della saggezza
Eleonora Laffranchini – Maurizio, gatto egizio
Annamaria Piccione – Il gallo che amava la luna
Ottino, Conte – Il paese del pesce felice
Nazzarena Stival – Il fantasma dell'Osservatorio
Marina Rossi – Tonto e Bla Bla
Angela Riva – L'orripilante Mostro Trinciasucchiapelo
Locatello, Vitillo – La botticella perduta
Sergio Luigi Bortot – Il Natale degli Gnomi
Roberto Albanese – Sette note per un mistero
Maria Strianese – Alla ricerca dei colori perduti
Sofia Gallo – Giò Duepiedi
Fornara, Gamba – Telefonino, non friggermi la zucca!
Sabrina Rondinelli – Caterina e i folletti scolastici

Serie I Classici

– Esopo – Le più belle favole
– Lyman Frank Baum – Il Mago di Oz
– Lewis Carroll – Alice nel Paese delle Meraviglie
– Carlo Collodi – Pinocchio
– Edmondo De Amicis – Cuore
– Louise May Alcott – Piccole Donne

- -

Approfondimenti e schede online su www.raffaellodigitale.it

Raffaello d digitale

Per far sì che la lettura dei nostri testi risulti ancora più ac-
cattivante e al passo con i tempi, hai a disposizione appo-
site schede multimediali sul sito *www.raffaellodigitale.it*

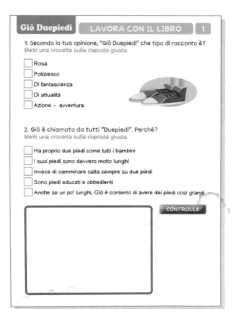

Il Pianeta della Felicità